E S T A T E   P U B L I C

SCUNTHORPE

BROUGHTON

15297 REP1D

C000081717

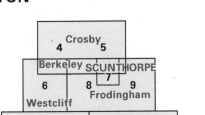

Crosby 4 5	
Berkeley SCUNTHORPE	
6 8 7 9	
Westcliff Frodingham	
Riddings Ashby	13 Broughton
10 11 12 13	
Yaddlethorpe Bottesford	

ROAD MAP   pages 2-3
ENLARGED CENTRE   page 7
INDEX TO STREETS   pages 14-16

Every effort has been made to verify
the accuracy of information in this
book but the publishers cannot accept
responsibility for expense or loss
caused by an error or omission.
Information that will be of assistance
to the user of the maps will be welcomed.

The representation on these maps of a
road, track or path is no evidence of the
existence of a right of way.

Car Park	**P**
Public Convenience	**C**
Place of Worship	+
One-way Street	→
Pedestrianized	▨
Post Office	●

**Scale of street plans 4 inches to 1 mile
Unless otherwise stated**

Street plans prepared and published by ESTATE PUBLICATIONS, Bridewell House, TENTERDEN, KENT.
The Publishers acknowledge the co-operation of the local authorities
of towns represented in this atlas.

Ordnance Survey® This product includes mapping data licensed from Ordnance Survey®
with the permission of the Controller of Her Majesty's Stationery Office.

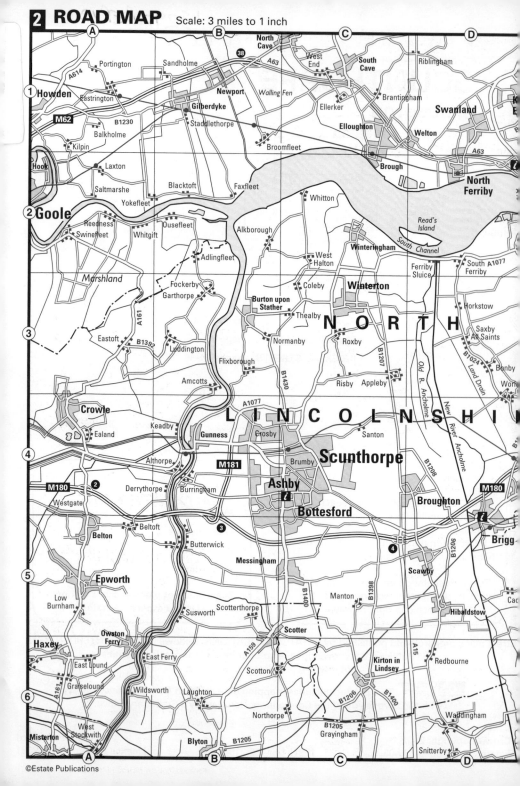

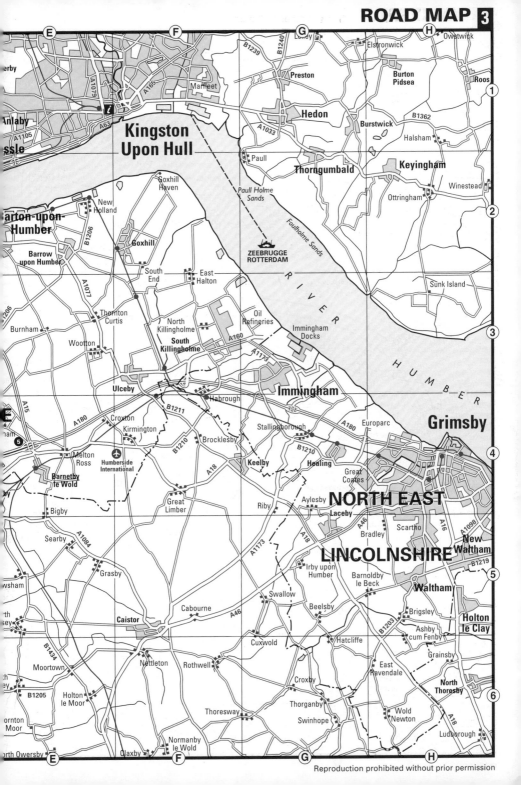

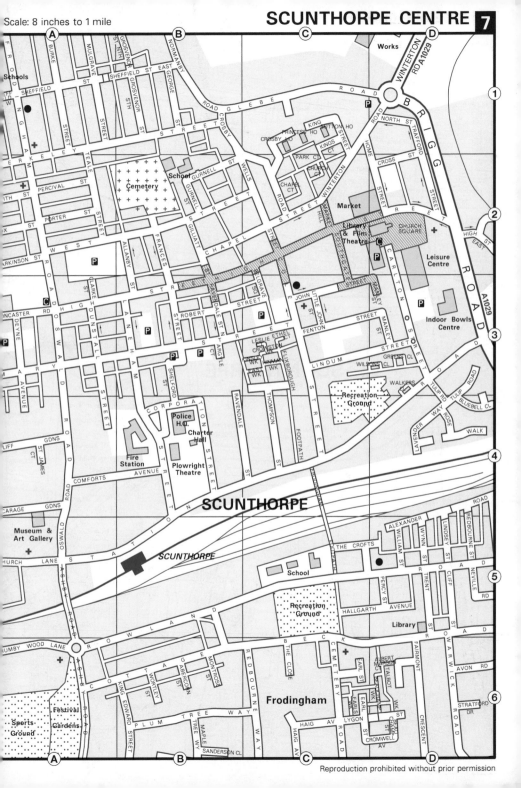

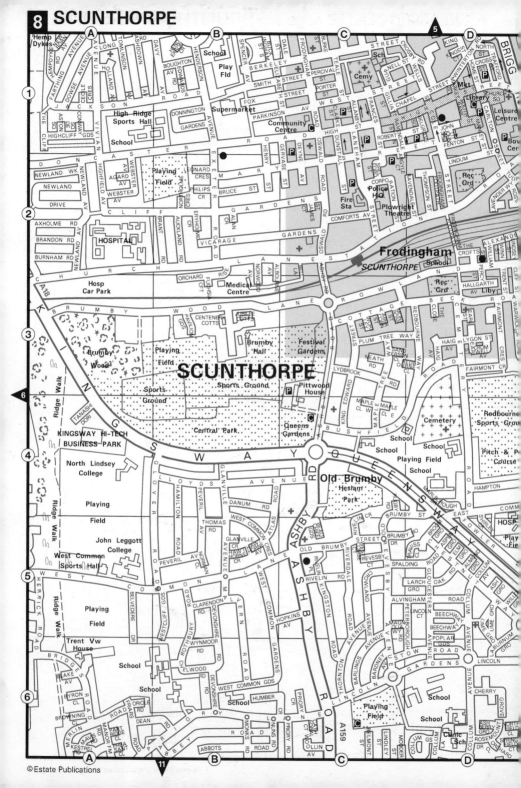

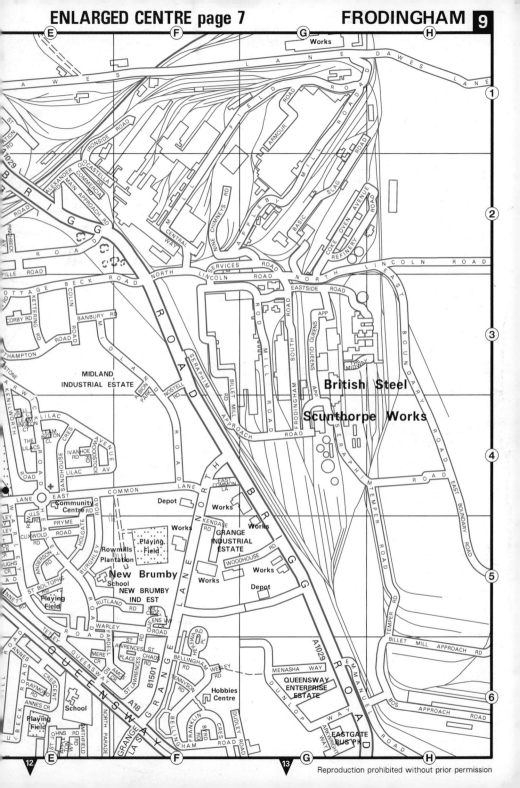

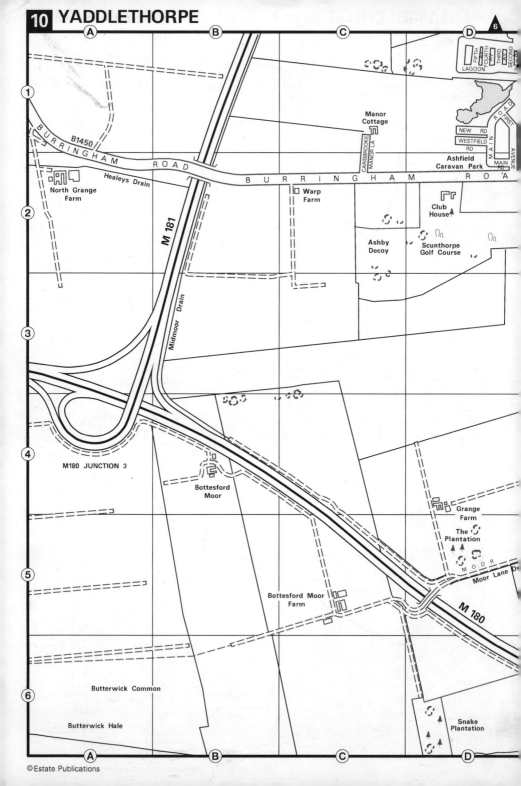

A B C D

1

BURRINGHAM ROAD
B1450

Manor
Cottage

NEW RD
WESTFIELD RD
MAIN RD

Ashfield
Caravan Park

Healeys Drain

BURRINGHAM ROAD

North Grange
Farm

Warp
Farm

Club
House

2

M 181

Ashby
Decoy

Scunthorpe
Golf Course

Midmoor Drain

3

M180 JUNCTION 3

4

Bottesford
Moor

Grange
Farm

The
Plantation

MOOR

Moor Lane Dr

5

Bottesford Moor
Farm

M 180

6

Butterwick Common

Snake
Plantation

Butterwick Hale

A B C D

LAGOON
FIFTH
FOURTH
THIRD
SECOND
FIRST

ROAD
AVENUE

CARISBROOKE
MANOR LA

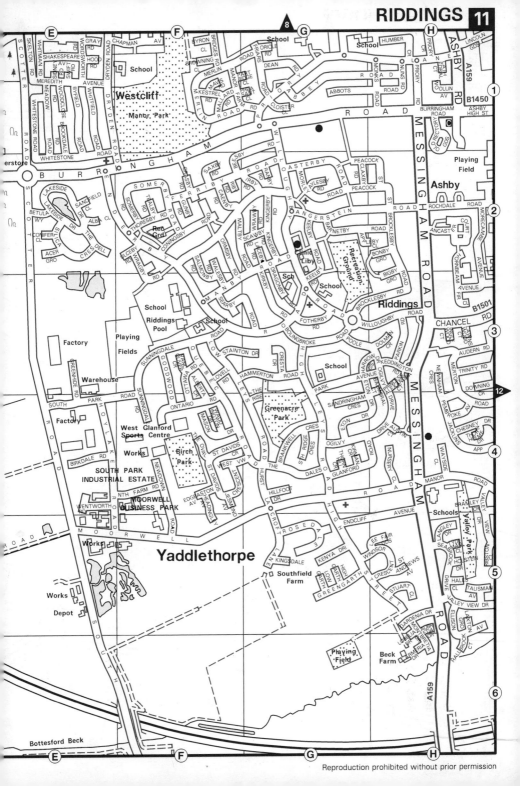

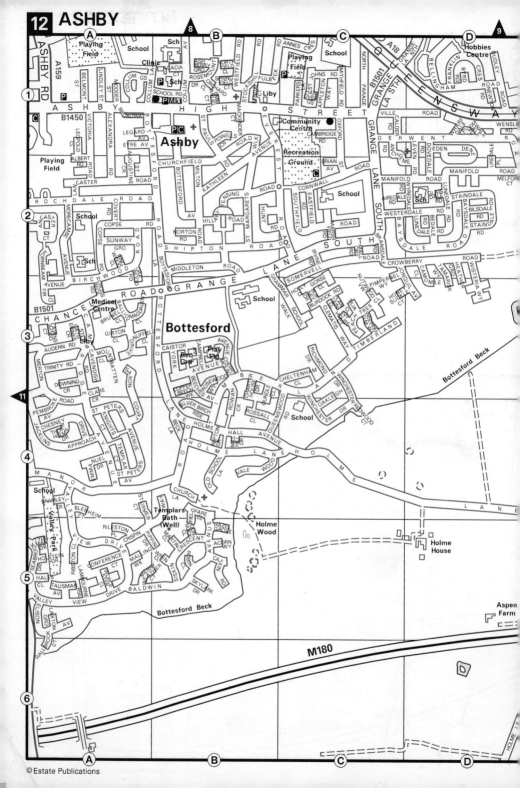

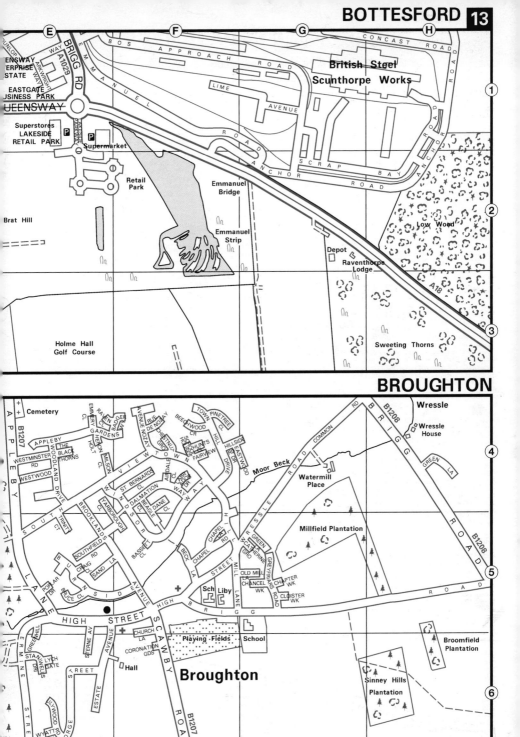

BROUGHTON

Map labels (Bottesford section):

ENSWAY ERPRISE STATE
DUNLOP
Way
BRIGG RD
A1029
BOS
APPROACH
ROAD
CONCAST ROAD
British Steel Scunthorpe Works
LIME
AVENUE
EASTGATE USINESS PARK
UEENSWAY
M MANUEL ROAD
ROAD
ANCHOR
SCRAP BAY
ROAD
Superstores LAKESIDE RETAIL PARK
P
LAKESIDE PARKWAY
P
Supermarket
Retail Park
Emmanuel Bridge
Brat Hill
Emmanuel Strip
Depot
Raventhorpe Lodge
A18
Low Wood
Holme Hall Golf Course
Sweeting Thorns

Map labels (Broughton section):

Cemetery
APPLEBY
B1207
WESTMINSTER RD
WESTWOOD
THE BLACK THORNS
WOODLAND DRIVE
HELON
APPLEBY
EMMERY CL
RAVEN CL
BADGER
GARDENS
HOLT
MILSON
VIEW
ST BERNARDS
DALMATION CL
BEAGLE DANE
CL
AIRDALE
AVENUE NOZAY
DE NOZAY
CHESTNUT CL
TOWN
BEECHWOOD
TOWN
WAY
PINE TREE CL
HILL
HILLSIDE
FAIRVIEW
EASTWOOD
DRIVE
Moor Beck
COMMON
Wressle
B1208
Wressle House
GREEN LA
RESSLE ROAD
BRIGG
Watermill Place
SOUTH
TRINIT CT
BROOKLANDS
YARBOROUGH
SAND LA
SOUTHFIELDS RD
CRAIG CL
BRUCE CL
POPLAR DR
BURNSIDE
AVENUE
CHAPEL CL
BASSET CL
BECK LA
CHAPEL
STREET
MILL LANE
GREEN LA
ST CATHERINE GRD
GREYFRIARS ROAD
Millfield Plantation
B1208
ROAD
HIGH STREET
SCH
Liby
OLD MILL LA
CHANCEL WK
CHAPTER WK
CLOISTER WK
B RIGG ROAD
GREENHILL
SFERNE AV
CHURCH LA
CORONATION GDS
Playing Fields
School
Broomfield Plantation
STANWELL
LYCH GATE
HALL
Broughton
FERME
GEORGE DIXON
WYATT AV
LLYWOOD
ESTATE
SCAWBY ROAD
B1207
Sinney Hills Plantation

The Index includes some names for which there is insufficient space on the maps. These names are preceded by an * and are followed by the nearest adjoining thoroughfare.

SCUNTHORPE

Heron Clo. DN15 4 B3
Herrick Rd. DN17 6 D6
Herriot Way. DN15 6 C1
Hibston Clo. DN16 12 A5
High Garth. DN17 11 G5
High Leys Rd. DN17 11 G3
High St, Scunthorpe. DN15 7 A3
High St, Yaddlethorpe. DN17 11 G4
High St East. DN15 7 D2
Highcliff Gdns. DN15 4 D6
Highfield Av. DN15 8 A2
Hillary Rd. DN16 12 B2
Hillfoot Dri. DN17 11 G4
Hilltop Av. DN15 4 C4
Hilton Av. DN15 4 A6
Hindon Wk. DN17 6 C4
Hinman Wk. DN15 7 C3
Holgate Rd. DN16 9 E5
Holland Av. DN15 4 D5
Holly Clo. DN16 12 C3
Holme Hall Av. DN16 12 B4
Holme La. DN16 12 B4
Holmfirth Rd. DN15 4 B5
Holstein Dri. DN16 11 H5
Holyrood Dri. DN15 4 C2
Home St. DN15 7 C1
Honeysuckle Ct. DN16 12 C3
Hood Rd. DN17 6 D6
Hopkins Av. DN17 8 C5
Horbury Clo. DN15 4 C5
Hornbeam Av. DN16 11 H2
Hornsby Cres. DN15 5 E4
Hoylake Rd. DN17 11 E4
Hudson Av. DN15 4 D4
Humber Cres. DN17 8 B6
Hunt Rd. DN16 12 B2
Hurst La. DN17 11 G4

Ilkeston Ct (38). DN15 6 B2
INDUSTRIAL & RETAIL:
Berkeley Ind Est. DN15 4 B4
Eastgate Business Pk. DN16 13 E1
Foxhills Ind Est. DN15 5 E2
Grange Ind Est. DN16 9 F5
Kingsway Hi-Tech Business Pk. DN17 8 A4
Lakeside Retail Pk. DN16 13 E1
Lysaghts Enterprise Pk. DN15 5 E1
Midland Ind Est. DN16 9 E3
Moorwell Business Pk. DN17 11 F4
New Brumby Ind Est. DN16 9 F5
Queensway Enterprise Est. DN16 13 E1
Sawcliffe Ind Pk. DN15 5 G3
Skippingdale Ind Pk. DN15 4 C2
South Park Ind Est. DN17 11 E4
Inglewood Ct. DN16 11 H3
Irby Rd. DN17 11 G2
Irvine Rd. DN16 12 C2
Ivanhoe Rd. DN16 9 E4
Ivy House Ct. DN16 12 C3

Jacklins App. DN16 12 A4
Jackson Rd. DN15 4 D6
Jellicoe Ct. DN16 9 E4
Jesmond Av. DN17 11 F4
John St. DN15 7 C3
Jonquil Av. DN16 12 C2
Jubilee Cotts. DN15 8 C3
Juniper Clo. DN15 4 B3

Kathleen Av. DN16 12 B2
Keats Av. DN17 6 D6
Keddington Rd. DN17 11 H3
Keelby Rd. DN17 11 G2
Kelsey Av. DN15 4 A6
Kendale Rd. DN17 9 F2
Kendall Ct. DN16 12 B1
Kenilworth Rd. DN16 9 E4
Kensington Rd. DN15 4 A6
Kenya Dri. DN17 11 G5
Kerries Wk. DN17 6 C6
Kestrel Rd. DN17 11 F1
Kettering Rd. DN16 9 E3
Keynsham Ct (19). DN17 6 C5
King Edward St. DN16 7 B6
King St. DN15 7 C1
Kingerby Rd. DN17 11 G2
Kingfisher Clo. DN15 6 C1
Kings Ct. DN15 7 C1
Kingsdale. DN17 11 G5
Kingston Rd. DN16 8 C5
Kingsway. DN17 6 C2
Kingsway Service Rd. DN15 4 C6
Kinsley Wk. DN15 7 C3
Kipling Av. DN17 6 D5
Kirkby Rd. DN17 11 G3
Kirnan Cres. DN17 11 G4
Knights Ct. DN16 12 A4

Laburnum Gro. DN16 8 D6
Laceby Rd. DN17 11 G2
Lagoon Rd. DN17 6 B6
Lakeside Dri. DN17 11 E2
Lakeside Parkway. DN16 13 E1
Lambourne Rise. DN16 12 A5
Lammerton Ct (14). DN17 6 D5
Lancaster Rd. DN16 12 A2
Landoor Av. DN17 6 D5
Laneham St. DN15 7 B3
Langley Dri. DN16 11 H5
Larch Gro. DN16 8 D5
Lavender Way. DN15 7 D4
Lawnswood Ct. DN16 12 A3
Laxton Gro. DN16 11 H5
Leamington Clo. DN16 9 E4
Leamington Ct. DN16 9 E4
Lee Fair Gdns. DN17 11 H4
Legard Av. DN16 12 A1
Leonard Cres. DN15 8 B2
Leopold Clo. DN16 12 A1
Leslie Clo. DN15 7 C3
Leven Rd. DN16 12 D1
Lichfield Av. DN17 6 C6
Lilac Av. DN16 9 E4
Lime Av. DN16 13 F1
Lime Gro. DN16 8 D5
Lincoln Ct. DN16 8 D5
Lincoln Gdns. DN16 8 C6
Lindley St. DN16 12 A1
Lindsey St. DN16 7 D5
Lindum St. DN15 7 C3
Linnet Clo. DN15 4 C3
Liscombe Ct (21). DN17 6 D5
Lister Rd. DN15 4 B6
Little John St. DN15 7 C3
Lloyds Av. DN17 8 B4
Lobelia Dri. DN17 11 H6
Lockwood Ct. DN15 4 D5
Lodge Rd. DN15 6 B2
Long Rd. DN15 4 D5
Lovell Rd. DN17 11 F3
Low Garth. DN17 11 G5
Low Leys Rd. DN17 11 F3
Lulworth Ct (37). DN17 6 C5
Luneburg Pl. DN15 4 B4
Luneburg Way. DN15 4 B3
Lunedale Rd. DN16 12 D2
Lydbrook Rd. DN16 8 C3
Lydford Ct (4). DN17 6 D4
Lygon St. DN16 7 C6
Lyndale Gdns. DN16 8 D6
Lynmouth Dri. DN17 6 C4
Lynton Clo. DN15 4 C5
Lysaghts Way. DN15 5 E1

Mackender Ct. DN16 12 B1
Magdalen Clo. DN16 12 A3
Magnolia Way. DN16 8 C5
Main App Rd. DN16 9 E2
Main Rd. DN17 10 D1
Maine Av. DN15 4 B4
Mallalieu Ct. DN15 4 D5
Mallard Rd. DN17 11 F1
Malling Wk. DN16 12 A5
Mallory Rd. DN16 12 C2
Maltby Rd. DN17 11 F2
Malvern Rd. DN17 8 B5
Manby Rd. DN17 11 F3
Manifold Rd. DN16 12 C2
Manley St. DN15 7 D3
Mannaberg Way. DN15 5 F3
Manor Farm Rd. DN17 11 F1
Manor Rd. DN16 12 A4
Mansfield Rd. DN15 6 B2
Maple Av. DN15 4 B4
Maple Tree Clo E. DN16 8 C4
Maple Tree Clo W. DN16 8 C4
Maple Tree Way. DN16 7 B6
Market Hill. DN15 7 C2
Marlborough Dri. DN16 8 D4
Marlowe Rd. DN17 6 C6
Marmion Rd. DN16 8 D5
Marsden Dri. DN15 4 C6
Marshfield Rd. DN16 12 C2
Martin Clo. DN16 12 B5
Mary St. DN15 7 A3
Mary Sumner Way. DN15 4 D5
Mason Dri. DN17 11 F4
Matlock Ct. DN15 6 B2
Mavis Rd. DN17 11 F1
Meadow Rd. DN17 11 E1
Melbury Wk. DN17 6 C4
Melford Ct. DN16 12 D2
Menasha Way. DN16 9 G6
Mendip Rd. DN17 6 D4
Mercia Way. DN15 5 E2
Mere Cres. DN16 9 E6
Meredith Av. DN17 6 C6
Merlin Rd. DN17 11 F1
Merryweather Ct. DN16 12 A5
Merton Rd. DN16 12 A3
Messingham Rd. DN17 11 H1
Middleton Rd. DN16 12 B2
Midland Rd. DN16 9 E3
Mill Croft. DN16 9 F5
Mill Field Rd. DN16 9 F2
Mill Hill Dri. DN16 12 B4
Milton Rd. DN16 12 B2
Minster Rd. DN15 6 B2
Mirfield Rd. DN15 4 B5
Moat Rd. DN15 4 D1
Modder St. DN16 12 A1
Monks Rd. DN17 11 H1
Montbretia Dri. DN17 11 H5
Montrose St. DN16 7 B6
Moor Rd. DN17 10 D5
Moors Rd. DN15 6 B2
Moorwell Rd. DN17 11 E5
Morecambe Av. DN16 12 A2
Morley Rd. DN17 11 G2
Mountbatten Clo. DN16 12 A3
Mulgrave St. DN15 7 A1

Neath Rd. DN16 8 C3
Neville Rd. DN16 7 D5
New Rd. DN17 10 D1
Newbolt Av. DN17 6 D5
Newborn Av. DN15 4 D5
Newbury Ct (6). DN17 6 D5
Newcomen Way. DN15 5 G3
Newdown Rd. DN17 11 F4
Newland Av. DN15 8 A2
Newland Dri. DN15 8 A2
Newland Wk. DN15 8 A2
Newnham Cres. DN16 11 H3
Newton Rd. DN16 12 D1
Nightingale Clo. DN15 4 C4
Nine Chimneys Rd. DN16 9 F2
Norman Clo. DN17 8 B5
Normanby Rd. DN15 7 B1
North Farm Rd. DN17 11 F4
North Lincoln Rd. DN16 9 F3
North Par. DN16 12 C1
North St. DN15 7 D1
Northampton Rd. DN16 9 E3
Northfield Clo. DN16 8 D6
Northolme Cres. DN15 8 B2
Norton Rd. DN16 12 B2
Norwood Av. DN15 8 B2
Nostell Rd. DN16 9 F3
Nuffield Clo. DN16 12 A3
Nuns Rd. DN17 11 H1
Nursery Clo. DN17 11 H4
Nutwood Vw. DN16 12 C3

Oak Rd. DN16 8 D5
Oakford Clo. DN17 6 D4
Oakleigh. DN16 12 C4
Oakwood Rd. DN16 12 A2
Ogilvy Dri. DN17 11 G4
Okehampton Ct (25). DN17 6 C5
Old Brumby St. DN16 8 C5
Old Crosby. DN15 5 F4
Old Ironside Rd. DN16 9 E2
Old Rectory Gdns. DN17 11 H2
Old School La. DN16 12 B4
Ontario Rd. DN17 11 F4
Orb La. DN15 5 F2
Orchard Clo. DN16 8 D6
Orchid Rise. DN15 8 B2
Oriole Rd. DN17 11 G1
Ormsby Rd. DN17 11 F2
Oswald Rd. DN15 7 A3
Ottawa Rd. DN17 11 F3
Oundle Clo. DN16 12 B3
Oxford St. DN16 12 C1

Padstow Wk (22). DN17 6 C5
Park Av. DN17 11 G3
Park Ct. DN15 7 C2
Park Farm Rd. DN15 5 E1
Parkers La. DN16 12 C1
Parkin Rd. DN17 11 H3
Parkinson St. DN15 7 A2
Partridge Clo. DN17 11 G1
Pavilion Gdns. DN15 8 C3
Peach Tree Clo. DN16 12 C3
Peacock St. DN17 11 G2
Pembroke Av. DN16 12 A4
Penrose Ct (8). DN17 6 D5
Percival St. DN15 7 A2
Percy St. DN16 7 D5
Peterborough Rd. DN16 8 D5
Peveril Av. DN17 8 B4
Pheasant Clo. DN17 11 G1
Philips Cres. DN15 8 B2
Phoenix Parkway. DN15 4 C3
Pimpernel Way. DN16 12 C2
Pinchbeck Av. DN16 9 E2
Pippin Ct. DN15 4 B4
Pippin Dri. DN16 12 A5
Plantain Clo. DN16 12 C3
Plum Tree Way. DN16 7 B6
Plymouth Rd. DN17 6 C4
Poole Dri. DN17 11 G3
Poplar Gdns. DN16 8 D5
Poppy Clo. DN15 4 B3
Porlock Ct (35). DN17 6 C5
Porter St. DN15 7 A2
Portman Rd. DN15 4 D3
Powells Cres. DN16 12 B1
Primrose Way. DN15 4 B3
Princess Alexandra Ct. DN17 11 H3
Princess Ho. DN15 7 C1
Priory Cres. DN17 8 C6
Priory La. DN17 8 B6
Priory Rd. DN17 11 H1
Pryme Rd. DN16 9 E5
Purbeck Rd. DN17 6 C4

Quantock Clo. DN17 6 D4
Quebec Rd. DN17 11 F3
Queen St. DN16 9 E2
Queens App. DN16 9 G3
Queens Vw Cres. DN16 9 F5
Queensway. DN16 8 C4
Queenswood Rd. DN16 12 B4

Radstock Ct (11). DN17 6 D5
Ram Blvd. DN15 4 D2
Ranby Rd. DN17 11 G2
Ravendale St. DN15 7 B3
Raymond Rd. DN16 9 E6
Redbourn Clo. DN16 8 D4
Redbourn St. DN16 7 D5
Redbourn Way. DN16 7 C6
Redwood Ct. DN16 12 D4
Refinery Rd. DN16 9 G2
Reginald Rd. DN15 4 D4
Repton Dri. DN16 12 B4
Revesby Av. DN16 8 C5
Revesby Ct. DN16 8 C5
Riby Rd. DN17 11 F2
Richmond Dri. DN16 12 C3
Rileston Pl. DN16 12 A5
Riley Ct. DN15 6 B2
Ringwood Clo. DN16 12 A2
Ripon Clo. DN17 6 C6
Rivelin Cres. DN16 8 C5
Rivelin Pl. DN16 8 C5
Rivelin Rd. DN16 8 C5
Riverdale Rd. DN16 8 C5
Robert St. DN15 7 B3
Robin Clo. DN16 12 B5
Robinson Clo. DN15 4 D5
Rochdale Rd. DN16 12 A2
Rochester Clo. DN17 6 C5
Rod Mill Rd. DN16 9 G3
Rose Walk. DN15 7 D4
Rosedale. DN17 11 G5
Rosemount Dri. DN16 8 D6
Rosewood Way. DN16 12 B3
Rossall Clo. DN16 12 B4
Rothbury Rd. DN17 8 B6
Rothwell Rd. DN15 4 C5
Rowan Cres. DN16 12 B4
Rowills Rd. DN16 9 E5
Rowlands Rd. DN16 7 A6
Rugby Rd. DN16 8 C4
Russet Clo. DN15 4 B4
Rutland Rd. DN16 9 E5

St Albans Clo. DN17 6 C6
St Andrews Av. DN17 11 H4
St Augustine Cres. DN16 12 A2
St Botolphs Rd. DN16 9 E5
St Catherines Cres. DN16 12 A3
St Chads Rd. DN16 9 F6
St Davids Cres. DN17 11 F4
St Hughs Cres. DN16 9 E5
St James Ct. DN15 7 A4
St Johns Rd. DN16 12 C1
St Lawrences Pl. DN16 9 F6
St Lawrences Rd. DN16 9 F6
St Margarets Wk. DN16 12 B2
St Marys Ct. DN15 4 B3
St Michaels Cres. DN16 9 E5
St Pauls Rd. DN16 12 B1
St Peters Av. DN16 12 A4
St Vincents Av. DN15 5 F3
Salcombe Ct (12). DN17 6 D5
Salisbury Clo. DN17 6 C5
Salmonby Rd. DN17 11 F2
Sanderson Clo. DN16 7 B6
Sandfield Clo. DN17 11 E2
Sandhouse Cres. DN16 9 E4
Sandringham Cres. DN17 11 G4
Saxby Rd. DN17 11 F2
Saxon Ct. DN16 12 A4
Scawby Rd. DN17 11 G2
School Rd. DN16 12 B1
Scot Av. DN17 6 C6
Scotter Rd Sth. DN17 11 E2
Scotter Rd. DN15 4 B6
Scrap Bay Rd. DN16 13 G2
Seabrook Dri. DN16 11 H5
Searby Rd. DN17 11 F3
Seaton Rd. DN17 6 D5
Second Av. DN17 6 C6
Sedgewood Way. DN15 4 B3
Selby Ct. DN17 6 D5
Seraphim App Rd. DN16 9 F3
Seraphim Rd. DN16 9 G4
Services Rd. DN16 9 F2
Shaftesbury Ct (18). DN17 6 C5
Shakespeare Av. DN17 6 C6
Sheffield Park Av. DN15 5 E4
Sheffield St. DN15 7 A1
Sheffield St E. DN15 7 A1
Sheffield St W. DN15 7 A1
Shelford St. DN15 7 B3
Shelroy Clo. DN15 4 B4
Sherburn Cres. DN15 4 C5
Sherwood Vale. DN15 4 C6
Shipton Rd. DN16 12 B2
Shirley Cres. DN16 8 D5
Sidney Rd. DN17 6 C6
Silica Cres. DN17 11 E2
Silver Birch Rise. DN16 12 B4
Siskin Cres. DN16 12 B5
Sixth Av. DN16 6 B6
Skelton Rd. DN17 6 C6
Skippingdale Rd. DN15 5 E3
Skylark Dri. DN16 12 B5
Smith St. DN15 7 A2
Smithfield Rd. DN16 12 C1
Snowdonia Av. DN15 4 C2
Somerby Rd. DN17 11 F2
Somervell Rd. DN16 12 C2
Sorrel Way. DN15 4 B3
Southgate. DN15 7 C2
South Pk Rd. DN17 11 E4
South Ridge Cres. DN17 11 G4
Southfield Rd. DN16 12 C2
Spalding Rd. DN16 8 C5
Speedwell Cres. DN15 4 B3
Spencer Av. DN15 5 E4
Spilsby Av. DN17 11 F2
Springfield Clo. DN16 8 D6
Staindale Rd. DN16 12 D2
Stainton Dri. DN17 11 F3
Staniwell Rise. DN17 6 D5
Stanley Rd. DN15 4 B6
Station Rd. DN15 7 A5
Stockshill Rd. DN16 9 E6
Stow Rd. DN16 8 C6

Stratford Dri. DN16 7 D6
Stratton Ct (5). DN17 6 D4
Stuart Clo. DN17 11 H4
Sturmer Ct. DN16 12 A4
Sunningdale Rd. DN17 11 F3
Sunway Gro. DN16 12 A2
Sutton Ho. DN15 7 C1
Swaledale Pl. DN16 12 D1
Swift Rd. DN17 6 C6
Swinburne Rd. DN16 6 D6
Swindon Ct (15). DN17 6 D5

Talbot Wk. DN16 7 D6
Talisman Av. DN16 12 A5
Tamar Wk. DN17 6 C4
Tamarisk Way. DN16 12 D2
Tanashi Dori. DN17 8 A4
Tansley Ct (40). DN15 6 B2
Tavistock Ct (24). DN16 6 C5
Tealby Rd. DN17 11 F2
Teale St. DN15 7 A2
Teignmouth Ct (1). DN17 6 D4
Temper Rd. DN16 9 H4
Templar Ct. DN16 12 A4
Tennyson Rd. DN16 9 F6
Tensing Rd. DN16 12 B2
Tetley Rd. DN16 9 E5
The Cliff. DN15 4 C6
The Close. DN16 7 C6
The Crofts. DN16 7 C5
The Dales . DN17 11 G4
The Dell. DN17 11 E2
The Fairways. DN15 6 B3
The Lilacs. DN16 9 E4
The Midway. DN16 9 G3
The Oval. DN17 11 F4
The Rise DN17 11 G4
Theodore Gdns. DN15 5 E5
Theodore Rd. DN15 4 D5
Third Av. DN17 6 C6
Thomas Rd. DN17 8 B5
Thompson St. DN15 7 C4
Thoresby Rd. DN17 11 F2
Thornhill Cres. DN17 11 G4
Thornholme Dri. DN16 12 A4

Thornton Av. DN16 8 C6
Tideswell Ct (41). DN15 6 B2
Tilia Clo. DN16 12 C3
Timberland. DN16 12 B4
Tiverton Ct (32). DN17 6 C5
Tomlinson Av. DN15 4 D5
Torbay Ct (30). DN17 6 C5
Torrington Rd. DN17 6 C5
Trafford St. DN15 7 D1
Traviss Clo. DN16 8 D5
Trent St. DN16 7 D5
Trinity Rd. DN16 12 A3
Truro Ct (31). DN17 6 C5
Tulip Rd. DN15 7 D3
Tydeman Clo. DN16 11 H5

Ulceby Rd. DN17 11 F2
Uredale Rd. DN16 12 D2

Vale Wood. DN16 12 B4
Valley View Dri. DN16 12 A4
Vancouver Cres. DN17 11 F3
Vicarage Gdns. DN15 7 A4
Victoria Rd. DN16 12 A1
Ville Rd. DN16 12 C1

Waddington Dri. DN17 11 F4
Walesby Rd. DN17 11 F2
Walkers Clo. DN15 7 D3
Wareham Ct (17). DN17 6 D5
Wares Way. DN15 4 A6
Warley Av. DN16 9 E5
Warley Dri. DN16 9 E5
Warley Rd. DN16 9 E5
Warping Way. DN15 4 A6
Warren Rd. DN15 5 F4
Warwick Rd. DN16 7 D6
Wayside Clo. DN16 11 H4
Webster Av. DN15 8 A2
Weeping Elm Way. DN16 12 C3
Wellington Ct (23). DN16 7 C5
Wells St. DN15 7 C2
Wensleydale Rd. DN16 12 D1

Wentworth Rd. DN17 11 E4
Wesley Rd. DN16 9 F6
West Common Cres. DN17 8 B5
West Common Gdns. DN17 8 B5
West Common La. DN17 8 A5
West St. DN15 7 A2
West Vw. DN17 11 F4
Westcliff Gdns. DN17 8 B5
Westcliff Precinct. DN17 6 D6
Westcombe Ct. DN16 8 C5
Westerdale Rd. DN16 12 C2
Westfield Rd. DN16 8 D6
Westfield Rd, Ashfield Caravan Park. DN17 10 D1
Wharfdale Pl. DN16 12 D1
Whitestone Rd. DN17 11 E1
Whitfield Rd. DN17 11 E1
Whitman Rd. DN17 6 C6
Wilke Clo. DN15 4 B6
William St. DN16 7 D5
Willoughby Rd. DN17 11 G1
Wilsons Clo. DN15 7 D3
Winchester Dri. DN16 12 C3
Windsor Cres. DN17 11 H4
Winsford Ct (29). DN17 6 C5
Winterton Rd. DN15 7 C2
Wisteria Way. DN16 12 D2
Woodclose Rd. DN17 11 E1
Woodale Clo. DN15 4 B3
Woodhouse Rd. DN16 9 G5
Woodland Vw. DN15 4 B6
Woodstock Rd. DN16 9 E4
Woollin Av. DN17 11 H1
Worcester Clo. DN16 12 A5
Wordsworth Rd. DN17 6 D6
Wortley St. DN16 7 B6
Wragby Rd. DN17 11 F2
Wrawby Rd. DN17 11 G2
Wren Clo. DN16 12 B5
Wybeck Rd. DN15 5 F3
Wynmoor Rd. DN17 8 B6

Wynn St. DN17 7 D5
Wyredale Rd. DN16 12 D2

Yarborough Ct. DN15 6 B2
Yeovil Ct (3). DN17 6 D4
York Av. DN16 12 B3

BROUGHTON

Airdale Clo. DN20 13 F4
Appleby Gdns. DN20 13 E4
Appleby La. DN20 13 E4
Avenue Nozay. DN20 13 F4
Badger Way. DN20 13 E4
Beagle Clo. DN20 13 F4
Beck La. DN20 13 F5
Beechwood Cres. DN20 13 F4
Brigg Rd, Broughton. DN20 13 F5
Brigg Rd, Wressle. DN20 13 H4
Brooklands Av. DN20 13 E4
Bruce Clo. DN20 13 E5
Burnside. DN20 13 E5
Catherine Gro. DN20 13 G5
Chancel Wk. DN20 13 G5
Chapel La. DN20 13 F5
Chapel Rd. DN20 13 F5
Chapter Wk. DN20 13 G5
Chestnut Gro. DN20 13 F5
Church La. DN20 13 F5
Cloister Wk. DN20 13 G5
Common Rd. DN20 13 G4
Coronation Gdns. DN20 13 F6
Craig Clo. DN20 13 E5
Dalmation Way. DN20 13 F4
Dane Clo. DN20 13 F4
Dixon Av. DN20 13 E6
Eastwood Dri. DN20 13 F4
Emmery Clo. DN20 13 E4
Ermine St. DN20 13 G6

Estate Av. DN20 13 E6
Fairview. DN20 13 F4
George St. DN20 13 E6
Green La, Broughton. DN20 13 G?
Green La, Wressle. DN20 13 H4
Greenhill. DN20 13 E6
Greyfriars Rd. DN20 13 G5
Heron Holt. DN20 13 E4
High St. DN20 13 E5
Hillside Rd. DN20 13 F4
Hunts Clo. DN20 13 F4
Labrador Dri. DN20 13 F4
Lilywood Rd. DN20 13 E6
Lych Gate. DN20 13 E6
Mill La. DN20 13 F5
Milson Clo. DN20 13 E4
Old Mill La. DN20 13 G5
Pinetree Clo. DN20 13 E4
Poplar Dri. DN20 13 E6
Raven Clo. DN20 13 E4
Rue de Nozay. DN20 . 13 F4
St Bernards Clo. DN20 13 F4
Sand La. DN20 13 E5
Scawby Rd. DN20 13 F4
School Houses. DN20 13 F4
South Vw. DN20 13 E5
Southfield Rd. DN20 13 E5
Staniwells Dri. DN20 13 E6
Sterne Av. DN20 13 E5
The Blackthorns. DN20 13 E3
Town Hill. DN20 13 F4
Town Hill Dri. DN20 13 F4
Trinity Ct. DN20 13 E5
Westminster Rd. DN20 13 A4
Westwood. DN20 13 E4
Windsor Way. DN20 13 E4
Woodland Dri. DN20 13 E4
Wressle Rd. DN20 13 G5
Wyatt Av. DN20 13 E6
Yarborough Clo. DN20 13 E5